Qui est-ce? C'est ma grand-mère.
Elle s'appelle Berthe. Elle est avec son chat.

Aujourd'hui Berthe va en vacances.
Elle va au bord de la mer.

Berthe décide ce qu'elle va mettre dans sa valise. C'est difficile.
- Alors, que fais-tu pendant les vacances, Berthe?

- D'habitude, je prends l'avion avec mon chat

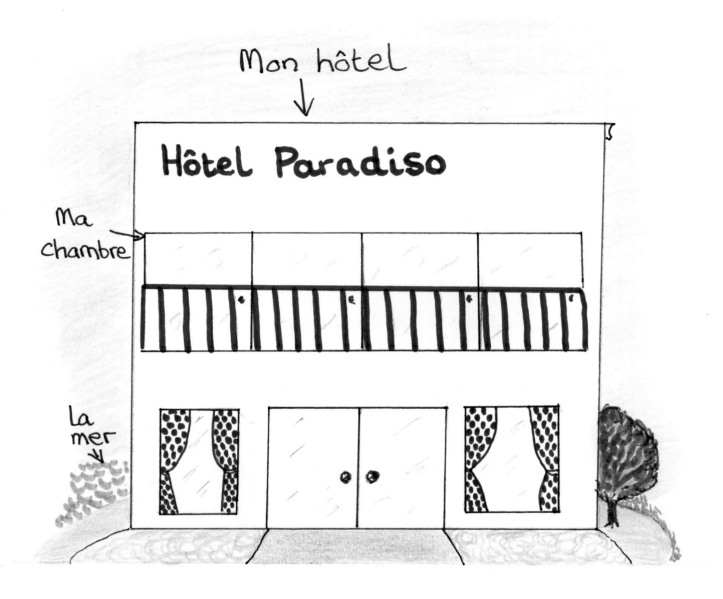

Mon hôtel

Hôtel Paradiso

Ma chambre

La mer

- Je passe les vacances dans un hôtel au bord de la mer.

- Je nage dans la piscine.

- Je vais à la plage et je me bronze.

- Je visite les musées....

et je visite les monuments.

- Je fais du parapente et je fais
de la planche à voile.

- Je fais de la plongée avec masque et tuba.

- J'achète des glaces chez le marchand de glace dans la pâtisserie.

Maintenant Berthe fait sa valise.
Elle met

une brosse, du savon,
une brosse à dents et du dentifrice,

un pyjama

des sandales

un short

quatre tee-shirts

un bikini

un pull-over

des lunettes de natation

de la crème solaire

et un guide.

Malheureusement, quand ils arrivent
il fait mauvais temps. Il fait froid,
il fait du vent et il pleut.

Quel dommage! Le magasin est fermé.
Le chat est très triste. Pauvre chat!

Berthe's Wordsearch

Accept the challenge. Photocopy the wordsearch, set yourself a time limit and see ho
many words you can find. Challenge your friends!

p	i	s	c	i	n	e	l	q	v	p	m
a	u	j	o	u	r	d	h	u	i	y	o
r	a	l	t	r	e	s	o	i	s	j	n
a	c	t	l	c	h	a	t	q	i	a	u
p	h	m	e	o	p	l	e	u	t	m	m
e	e	s	u	m	v	u	l	a	e	a	e
n	t	x	f	g	a	e	t	n	e	v	n
t	e	f	d	a	l	g	r	d	n	z	t
e	m	r	e	f	i	w	l	v	a	i	s
p	r	e	n	d	s	t	x	a	u	y	w
t	r	o	h	s	e	c	n	a	c	a	v
b	x	g	r	a	n	d	m	e	r	e	p

au	vent	musée	glace	grand-mère
met	fait	achète	quand	aujourd'hui
qui	chat	prends	hôtel	parapente
est	très	fermé	pyjama	pull-over
mer	pleut	visite	pauvre	vacances
vais	short	valise	piscine	monuments

(Ignore accents and dashes).

Score: /30

– – – – – – – – – – – – – –

18

Unjumble the **red** letters in the square to find the mystery phrase. Answers on page 22.

À La Douane

ow to play. Photocopy onto card one set of the written cards and two
ts of the picture cards. Cut out the cards. Shuffle them and place
em face down in a pile. Each player chooses 4 items from the 'Dans La
lise' list and writes them down on a piece of paper. Then each player
kes it in turn to take a card from the top of the pile. Each card is
ted upon or put to the bottom of the pile or, if on the player's list,
pt - unless they have it already, in which case it is returned to the pile.
e winner is the first to collect all of their 4 cards.

ction Cards:
nfiscation – Player to your left takes one of your collected cards.
mboursement – You can collect a card that has been confiscated from you.
attez les Cartes – Shuffle the cards in the main pile.
dez Votre Valise – Empty your case. Put all of the cards you have
llected back into the middle of the pile.

ans la Valise: une brosse, du savon, du dentifrice, une brosse à dents,
 pyjama, des sandales, un short, un tee-shirt, un bikini, des lunettes
 natation, un tuba, de la crème solaire, un guide, un pull-over, un
apeau de soleil, des lunettes de soleil, des bottes, des chaussettes, une
rviette, un appareil photo, un livre.

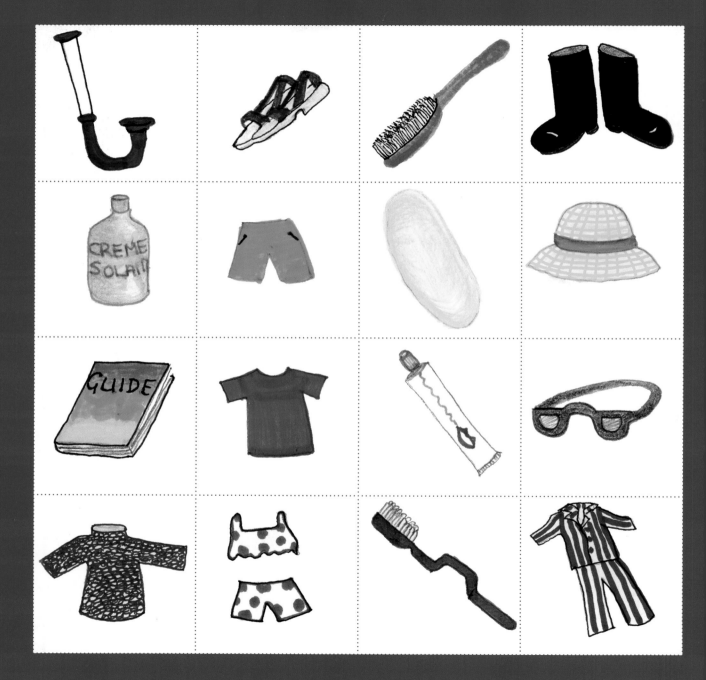

  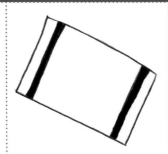

  Battez les Cartes

Battez les Cartes | Remboursement | Confiscation

Confiscation | Videz Votre Valise | Remboursement

Berthe's Wordsearch Answers

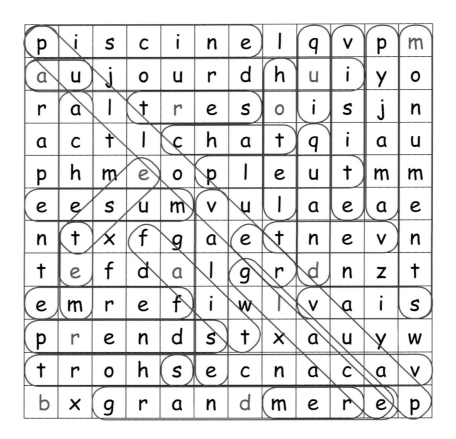

p	i	s	c	i	n	e	l	q	v	p	m
a	u	j	o	u	r	d	h	u	i	y	o
r	a	l	t	r	e	s	o	i	s	j	n
a	c	t	l	c	h	a	t	q	i	a	u
p	h	m	e	o	p	l	e	u	t	m	m
e	e	s	u	m	v	u	l	a	e	a	e
n	t	x	f	g	a	e	t	n	e	v	n
t	e	f	d	a	l	g	r	d	n	z	t
e	m	r	e	f	i	w	l	v	a	i	s
p	r	e	n	d	s	t	x	a	u	y	w
t	r	o	h	s	e	c	n	a	c	a	v
b	x	g	r	a	n	d	m	e	r	e	p

The mystery phrase in red letters is au bord de la mer.

22